Johann Sebastian Bach

Suite Nr. 1 für Violoncello solo

BWV 1007

Transkription für Gitarre von Michael Koch

Sy. 2470

RICORDI

IMPRESSUM

Notensatz | Engraving: Matteo Pennese

ISMN 979-0-2042-2470-8

Vorwort

Diese Ausgabe möchte Gitarristinnen und Gitarristen einen ebenso unkomplizierten wie seriösen Zugang zu Johann Sebastian Bachs Suite Nr. 1 für Violoncello ermöglichen. Vorab ein wenig Hintergrundinformation:

Anders, als man meinen möchte, lassen sich etliche der Kompositionen Bachs für Violoncello solo – oder auch Violine solo – leichter auf die Gitarre übertragen als seine „Lautenwerke". Entsprechend sind schon Ende des 19. Jahrhunderts Einzelsätze, später dann komplette Suiten, Sonaten und Partiten für die Gitarre transkribiert worden.

Besonders das Prélude der Suite Nr. 1 für Violoncello erfreut sich großer Beliebtheit bei Gitarristinnen und Gitarristen. Die komplette Suite ist dagegen selten auf der Gitarre zu hören, vielleicht, weil die auf das Prélude folgenden Sätze auf den ersten Blick zu anspruchsvoll erscheinen. Ziel der vorliegenden Ausgabe war es, die Suite als Ganzes so zu transkribieren, dass alle Sätze, bei hoher Qualität der Transkription, gut spielbar wurden.

Von Johann Sebastian Bach selbst ist keine Handschrift der Suiten für Violoncello überliefert. So diente die Abschrift Anna Magdalena Bachs bzw. die „Neue Bach-Ausgabe" von 1988 als Vorlage. Die für die Übertragung gewählte Tonart D-Dur (Original: G-Dur) ermöglichte es, den originalen Notentext des Manuskripts beizubehalten, ebenso die Verzierungen, die dort immer als Triller gekennzeichnet sind.

Als solche sind sie auch in die vorliegende Ausgabe übernommen worden. Sie sollten aber – je nach „Ausdruck", persönlicher Kenntnis der barocken Aufführungspraxis, individuellem Geschmack und eigener Fertigkeit – als längere oder kürzere Triller, langsamer oder schneller, lediglich als Pralltriller oder gar nur als langer oder kurzer Vorschlag ausgeführt werden. Ebenso sei dazu angeregt, weitere Verzierungen sparsam hinzuzufügen. Dabei ist immer zu bedenken, dass Verzierungen in der Barockmusik zwar unabdingbar sind, aber „Beiwerk" bleiben sollen, sich nicht in den Vordergrund drängen dürfen. Dementsprechend wurde in der Ausgabe auch auf den Einsatz von Trillern über zwei Saiten verzichtet – zumal solche in der lautenistischen und gitarristischen Praxis des Barock unbekannt waren.

Der harmonische Kontext erschließt sich Ausführenden und Hörenden in der originalen Violoncello-Fassung oft schwer. Er wird in der Gitarrenversion durch das Weiterklingen einmal angeschlagener Saiten schon sehr viel leichter wahrnehmbar. Um ihn aber durchgängig zu verdeutlichen, wurden dem Original Basstöne hinzugefügt und einige originale Basstöne (vor allem im Prélude) nach unten oktaviert, immer mit Blick auf die Konsistenz des dadurch veränderten Tonsatzes. An zwei Stellen sind Akkorde durch Mittelstimmen aufgefüllt, an zwei weiteren Einzeltöne zu Akkorden ergänzt worden.

Auf ein stärkeres Anreichern des Tonsatzes durch weitere Stimmen oder Akkorde wurde bewusst verzichtet, ebenso auf klanglich determinierte Fingersätze. Beides hätte das Original entstellt und die Ausführung erschwert. Fingersätze und Bindungen sind als Vorschläge zu verstehen. Sie wurden unter der Zielsetzung eingefügt, flüssiges und kantables Spiel im Sinn der barocken Aufführungspraxis zu ermöglichen.

Michael Koch, Mainz, 2019

Suite Nr. 1 für Violoncello solo BWV 1007

Prélude

Johann Sebastian Bach (1685-1750)
Transkription für Gitarre von Michael Koch

13

15
IV

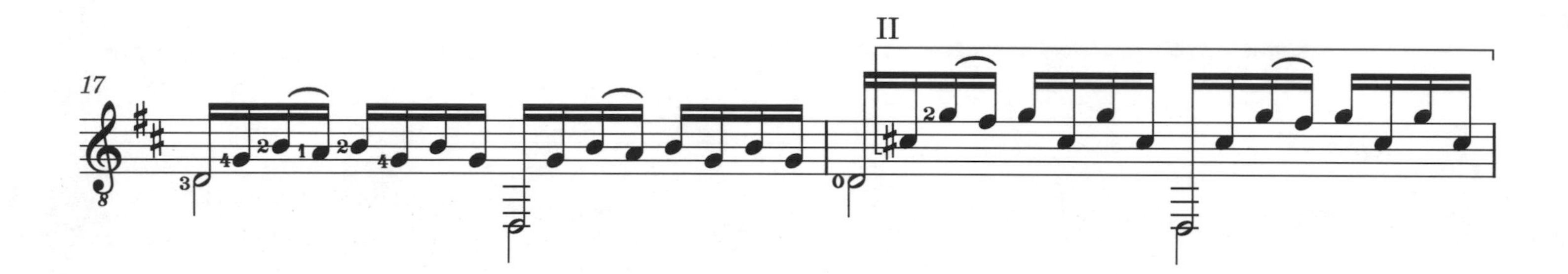
17
II

19
⑤
③

21
④
③
II

23

25

27

29

31

33

35

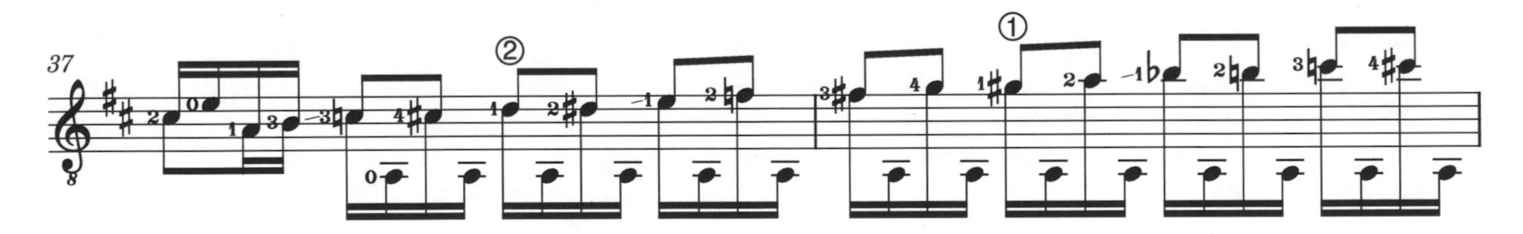
37

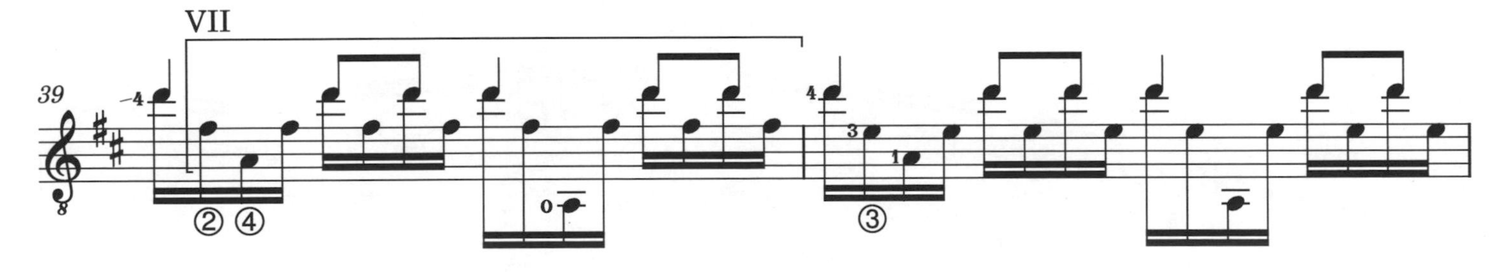
VII
39

41
VII

Allemande

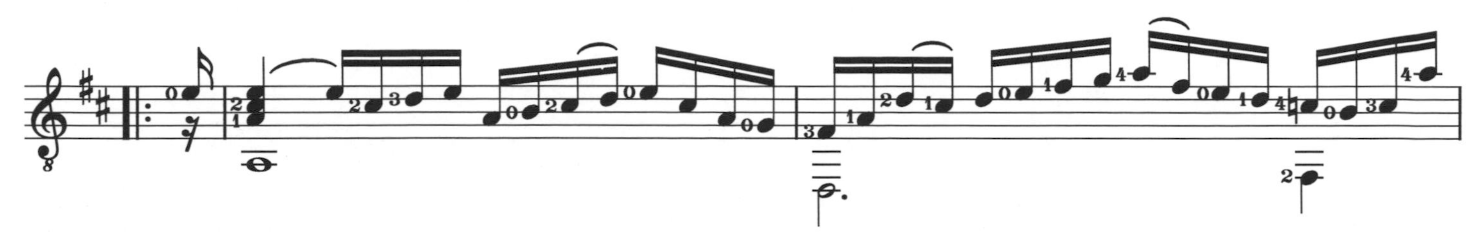

19

21

23

25

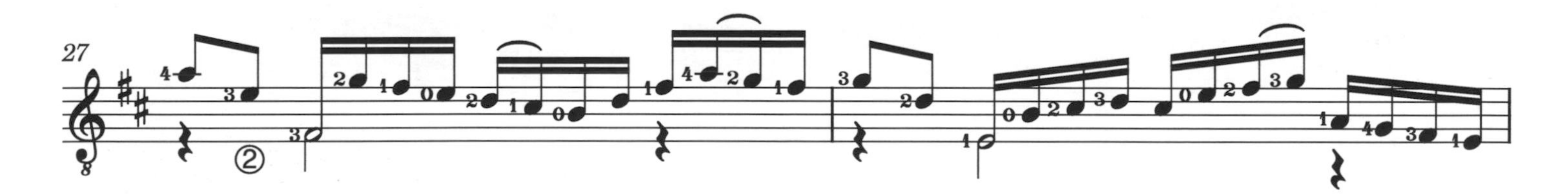
27

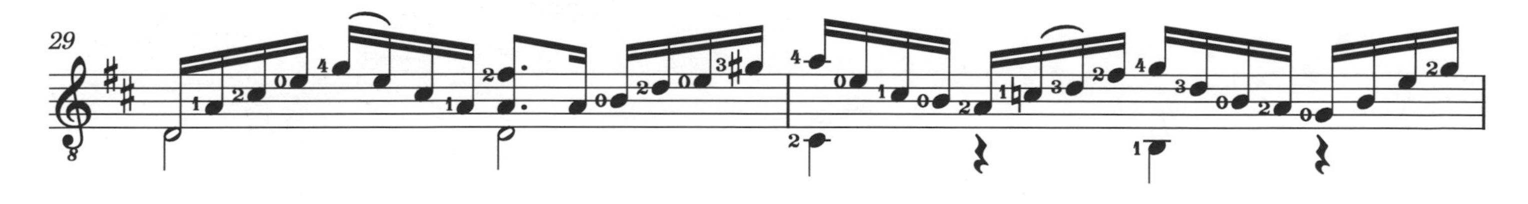
29

31

Courante

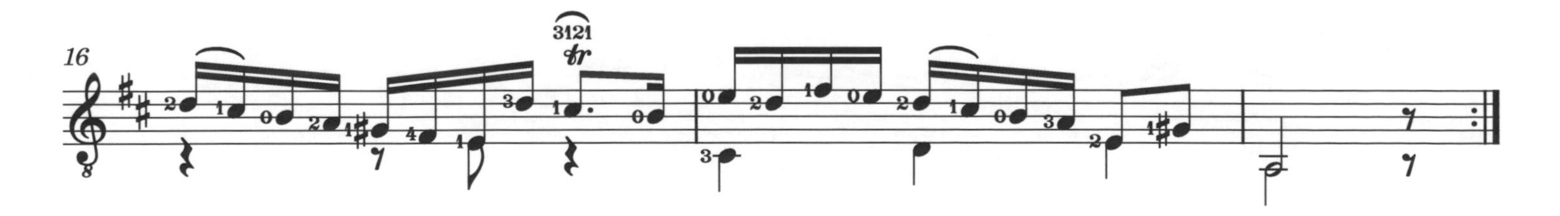

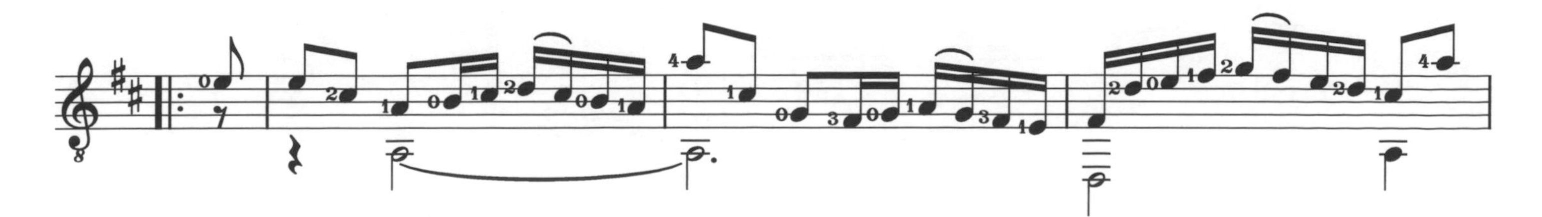

22

25

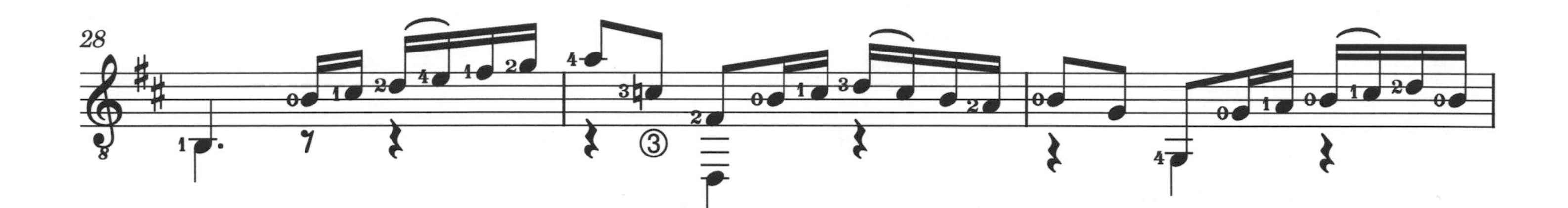
28

31

34
p i p i m

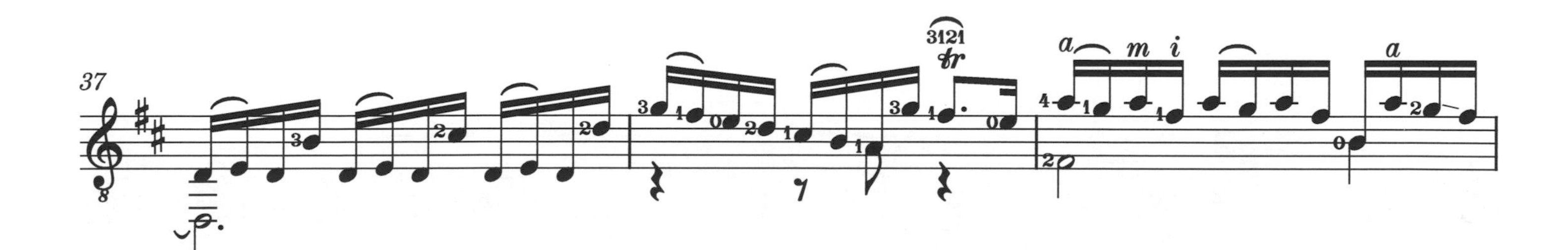
37
a m i
a

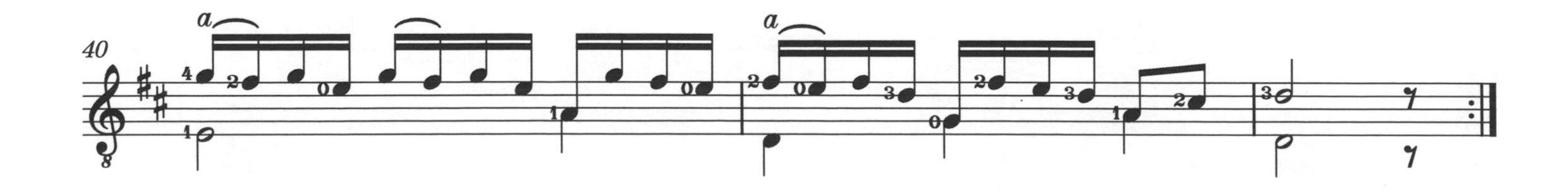
40
a
a

Sarabande

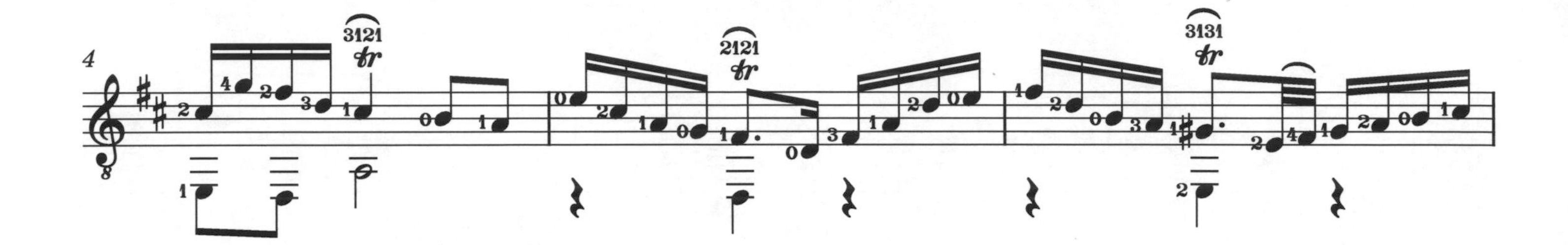

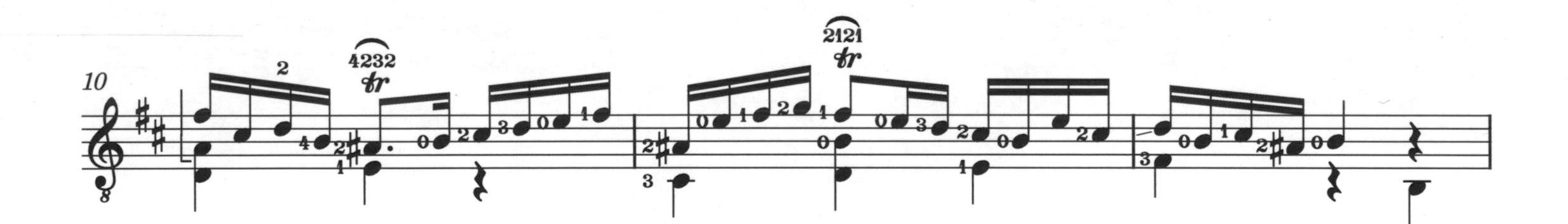

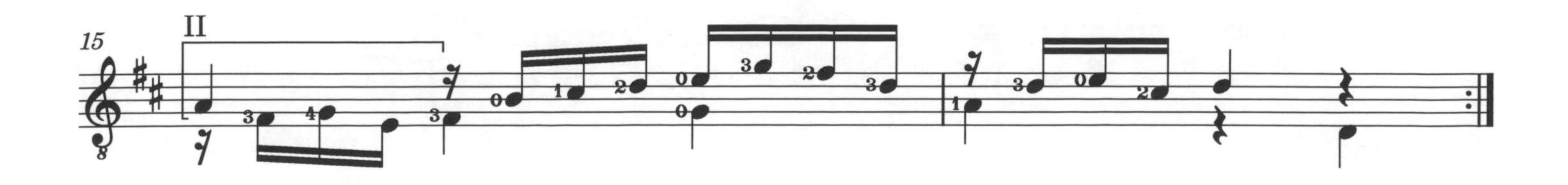

Menuett I

Menuett II

Menuett I da capo

Gigue

Inhalt